Edición original: **OQO editora**

© del texto	Susanna Isern 2015
© de las ilustraciones	Mar Ferrero 2015
© de esta edición	OQO editora 2015
Alemaña 72	36162 Pontevedra
Galicia	ESPAÑA
T +34 986 109 270	F +34 986 109 356
OQO@OQO.es	www.OQO.es
Diseño	Oqomania
Impresión	Publito Artes Gráficas
Primera edición	febrero 2015
ISBN	978-84-9871-527-9
DL	PO 027-2015

Para Yves, Yuna, Adriel y Marc; por hacer de cualquier sopa, la mejor del mundo. **S. I.**

La mejor Sopa

DEL MUNDO

texto de **Susanna Isern**

ilustraciones de **Mar Ferrero**

OQO editora

En un lugar escondido del bosque,
una pequeña cabaña tenía la luz encendida.

Por la chimenea salía humo:
Tortuga estaba preparando su comida.

De pronto, una tormenta de nieve sorprendió a Conejo,
que corrió a refugiarse en la cabaña.

—¡TOC! ¡TOC!...
¡Hola, Tortuga!
¿Puedo quedarme
hasta que pase el temporal?

—¡Claro, Conejo!
¡Estoy preparando una sopa!

—¡Adoro la sopa!
¡Toma, échale zanahorias!

Tortuga y Conejo trocearon las zanahorias
y las echaron en la olla,
que ya humeaba.

Cerca de la cabaña andaba Ciervo,
que también se decidió a llamar.

—¡TOC! ¡TOC!...
    ¡Hola, Tortuga! Hace un frío terrible.
    ¿Puedo pasar?

—¡Claro, Ciervo!
    ¡Estoy preparando una sopa!

—¡Me encanta la sopa!
    ¡Toma, échale frutos rojos!

Tortuga, Conejo y Ciervo
desmenuzaron los frutos rojos
y los echaron en la olla.

A lo lejos, Zorro divisó el humo de la chimenea
y se acercó a la cabaña.

—¡TOC! ¡TOC!...
¡Hola, Tortuga!
¡Qué calorcito hace en tu casa...!

—¡Entra, Zorro!
¡Estoy preparando una sopa!

—¡Mi plato favorito!
¡Toma, échale cebollas!

Tortuga, Conejo, Ciervo y Zorro
picaron las cebollas
y las echaron en la olla.

Un aroma delicioso inundó todo el bosque.
Y, uno a uno, otros animales
se fueron acercando a la cabaña:

Oso, con miel;
Lobo, con pimientos;
Erizo, con puerros;
Ratón, con champiñones...

Juntos cortaron, trocearon
y echaron todo bien picadito en la olla.

—Ahora debe hacer *chup-chup*
durante un rato –dijo Tortuga,
removiendo con una cuchara de madera.

Mientras la sopa se hacía,
los animales pusieron la mesa.

Fuera seguía la tormenta.
Pero, en la cabaña,
todos estaban animados:
contaron historias,
cantaron canciones, bailaron…

Ya de noche, Ardilla exclamó:

—**¡Hacía mucho tiempo que no me divertía tanto!**

—**¡Pues habrá que repetir!** –propuso Oso, entusiasmado.

—**¡Desde luego!** –afirmó Erizo.

En ese momento,
Tortuga llegó con la olla humeante
y dijo:

—¡La sopa está lista!

Todos se sentaron a la mesa;
mientras, en el bosque, seguía nevando.

El olor de la sopa era fantástico.

Tortuga sirvió a sus invitados.

Los animales cogieron la cuchara,
la metieron en el plato,
la llenaron de sopa y..., ¡ñam!,
se la llevaron a la boca.

Durante unos segundos
se quedaron en silencio.

—¡**Deliciosa!**

–exclamó Ciervo.

—**¡Nunca había probado una tan buena!** –aseguró Tejón.

—**¡Esta es…!** –se relamió Jabalí.

—**¡La mejor sopa del mundo!**

–exclamaron todos.

—**Tortuga, ¿cuál es el secreto?**

–preguntaron, intrigados.

Tortuga, halagada, respondió:

—**Amigos, yo solo he puesto agua a hervir.**

Los animales la miraron asombrados.

—El ingrediente secreto... **¡sois vosotros!**
–concluyó Tortuga.

En un lugar escondido del bosque,
una pequeña cabaña tenía la luz encendida.
Por la chimenea salía humo.

Fuera estaba oscuro y seguía nevando.
Dentro, los animales disfrutaron de una hermosa velada con…

LA MEJOR SOPA DEL MUNDO

Ingredientes
Un puñado de amigos
Una cesta de historias
Un manojo de risas
Un chorrito de música
Una chispa de luz
Una pizca de calor
Agua y vegetales

Preparación
Poner agua a hervir,
trocear los ingredientes
y echarlos en la olla.
Cocer a fuego lento y remover,
de vez en cuando, con mucho amor.